le Grand Voyage

Photocopiable Workbook
Advanced Level Activities

Written by Stephen Glover

linguascope

Copyright Notice

The worksheets are published by Linguascope and each set of worksheets is sold either to an individual teacher or to a school for use by one individual school. In each case, Linguascope grants to the individual school the right to reproduce sufficient copies of only the worksheets contained for use only in the school, and only by students of the school that purchased the set of worksheets.

Copying of any part of this package is strictly prohibited if used in a resource centre for lending purposes.

Reproduction of all or any part of these worksheets for resale and/or any other copying of all or part of these worksheets by any means or device, other than expressly permitted herein, is expressly and absolutely prohibited and is a violation of copyright.

Unauthorised duplication of the video is expressly forbidden.

Written Contents   Stephen Glover
Graphic Design   Linguascope
Publisher   Linguascope

Copyright © 2010 Linguascope
Published by Linguascope, 189 Colchester Road, West Bergholt, CO6 3JY (UK)
Telephone 01206 242473 • Fax: 01206 242262 •
Web site www.linguascope.com

Printed in the UK

ISBN 978-1-84795-114-4

Contents

le Grand Voyage

User guide

– Contents
Workbook and PowerPoints*
- Reactions to film
- Summary with vocabulary and gapfill exercise
- Context and direct speech
- Character guide adjective practice
- Tensinator multi tense exercise
- The A Factor (including PowerPoints* for teaching passive, subjunctive and present participle)
- Essay writing guide

Objectives of materials
- To revise and build up verb usage with a variety of exercises
- To make the acquisition of vocabulary central to the learning process
- To enable teachers to concentrate on the more creative side of working with the film
- To provide guidance on the art of writing a topic essay on the film
- To give teachers very tangible, substantial pieces of language work to do which will practise a range of skills
- To encourage language learning amongst students using an approach which makes them realize they can achieve
- To provide a solid bank of linguistic and cultural content

Suggested ways of approaching the teaching of a film

Initial steps
- Purchase the film in the French version with French subtitles available on it for the deaf. *
- Purchase the script (scénario) for the film if it is available. *
- Watch the film a couple of times including with subtitles and pick out what themes come out of It for you. (Compare with the themes I've identified if you wish).
- Break the film down into logical parts - if you are going to keep stopping the film you are only going to get through 20 minutes or so per lesson, so be realistic.
- Split the summary up to reflect the parts you are dividing it into.

Where there is a context with which the students may not be familiar, you may need to do an introduction.

(* Additional material including PowerPoint presentations, answers and links about the film can be found at www.linguascope.com/films)

Viewing and exploiting the film

Lesson one (assuming hour lessons)

Teach the class how to express initial reactions in an interesting way using the worksheet on reactions if desired. *Ce qui m'a frappé la première fois que j'ai vu le film…* That initial reaction could easily be lost - this is why using 20 minutes of film per lesson will allow you to build up this language.

After showing the 20 minutes or so of film maybe stopping it periodically to ask questions or point out something, you may wish to run quickly through the film summary using maybe the present tense narrative which is frequently the one used for discussing film. Students may be asked to complete the sentences for homework although make sure they are referred to a grammar section/book where they can double check verb forms.

Lesson two

Briefly run through the previously viewed part of the film on x4, pausing just before key events, asking what is going to happen - or just after an event to ask what has happened or just happened. Begin to probe more deeply by asking why, or what aspect of a theme the event demonstrates. By now the students will have the language to do this. On second viewing students could begin noting how particular themes are illustrated.

Lesson three - five

Repeat this process as you work through the film. If knowledge of the present tense seems secure, subsequent use of the summary could move through to perfect/imperfect or practising subordinate clauses using combinations of *après avoir, avant de, en …… -ant, ce qui, ce que, subjunctive etc*.

Lessons six/seven

By now knowledge of the events of the film should be fairly secure and attention can be turned to building up a picture of the different characters in the film using the character study worksheet which asks students to look at relevant adjectives which might describe particular people.

This is a good opportunity to revise different types of adjectives, agreement and positioning as well as some more sophisticated constructions in which they can be used. There are translation exercises from French to English and English to French on which students can base their own interpretation of the film's characters and motives.

Lesson eight/nine

Using the notes they have made on themes and character students should be given different themes from the film to present. These should ideally be around the key expectations of the examinations for average students although more idiosyncratic and challenging ideas could be presented by the more able. Students could record these initially - you could talk them through the recording saying how their performance matches up to the oral criteria and how to improve (or use French assistant for this).

Lesson ten/eleven

Work through the Tensinator exercise/A factor to ensure that students are aware of how the different tenses relate to each other. You might practise these again with the summary or go back through some key scenes with a particular focus such as saying what you would have done in particular circumstances.

Lesson twelve

An important final activity would be for students to analyse the types of shots and effects being used in the relevant film. Students could choose five of their favourite scenes and discuss the way in which it has been put together by the director.
See links (www.linguascope.com/films) to online materials on techniques.

Lesson thirteen/fourteen

Following on from work on planning a short 200 word essay, more serious work can be introduced on how to plan a slightly longer essay. The essay writing guide is designed to highlight the need for planning carefully. Impress on the students the level of detail required to write a good answer.
All the key points regarding brain storming into a spider diagram, ordering paragraphs and how to put in an introduction and conclusion are addressed.

Themes and Links

Themes

- la place de l'islam en France
- les rapports entre les parents nés à l'étranger et leurs enfants « beurs »
- la nature de la dévotion religieuse
- l'histoire de la génération de maghrébins arrivés en France pendant les trente glorieuses
- le voyage à Mecque et son rôle dans la vie d'un musulman
- les rapports entre les sexes dans la société musulmane
- comment les rapports entre père et fils se développent au cours du film
- deux personnes qui vivent dans deux mondes différents

Learning to talk about a film

Giving your first impressions is very important. After you have seen a film a few times you tend to forget the original feelings you had. Make notes using these constructions.

Ce qui/ce que constructions

- Ce qui m'a étonné /choqué au début du film, c'était ...

- Ce qui m'a impressionné/amusé alors que le film a progressé, c'est ...

- Ce qui m'a ému dans la scène entre .... et ....

- Ce que j'ai trouvé très amusant/impressionant au début ...

- Ce que j'ai appris en regardant le film c'est que ...

- Ce que j'ai ressenti comme émotion au début/dans la scène ...

Passive constructions

- J'ai été très impressionné(e) par la manière dont ...

- J'ai été ému(e)/touché(e) par la scène vers la fin où ...

- J'ai été très choqué(e)/surpris(e) de voir que le personnage de ...

The summary of events in the film is designed to help you.

Learn the content of the film after/whilst watching it.
Practise your verbs in a range of tenses. Try completing the verbs in brackets...

      a) in the present tense.

      b) using a combination of the perfect and imperfect tenses.

You need to go on from this knowledge of the basic plot to look at the themes of the film.

Sommaire des évènements

Réda [aller] quelque part en vélo.	Quelque part • somewhere
Il [descendre] à la casse d'automobile de son frère où il [avoir] des difficultés de manier une portière.	Une casse • scrap yard Manier • to manœuvre
Il [parler] du voyage à Mecque.	Mecque • Mecca
Il [fait] mal accidentellement à son frère pendant qu'il [tenir] la portière. Celui-ci [se fâcher].	Tenir • to hold Portière • car door Se fâcher • to get annoyed
Réda [vouloir] s'en aller pour un rendez-vous.	S'en aller • to go off
Il [s'enfuir] en vélo chassé par son frère.	S'enfuir • to flee
De retour à la maison tout le monde [dîner]. Il [demander] à sa mère ce qui [se passer].	Se passer • to happen
Le père lui [parler] des problèmes de son frère. Il [dire] à son fils qu'il [aller] le conduire à Mecque et qu'ils [partir] dimanche.	Conduire • to drive
Il n'[être] pas content et [se demander] pourquoi son père ne [pouvoir] pas prendre l'avion.	Se demander • to wonder
Il [aller] passer son bac pour la dernière fois et c'[être] sa dernière chance. Sa mère ne [réagir] pas. Assis dans sa chambre il [contempler] son avenir, désolé et ne [répondre] pas à son téléphone portable.	Le bac • baccalauréat exam Réagir • to react Désolé • distraught
Dimanche il [charger] la voiture pour le voyage. Son frère lui [confier] son appareil photo. Il lui [donner] également des conseils à l'égard de la voiture. Ils [s'embrasser] avant le départ.	Charger • to load Confier • To trust with Des conseils • advice A l'égard de • with regard to S'embrasser • to kiss each other
Le père [dire] au grand frère de s'occuper de la famille pendant son absence. Tout le monde les [saluer] alors qu'ils [partir].	S'occuper • to look after
Réda [recevoir] un coup de téléphone lui demandant de rappeler mais il n'y [faire] pas attention.	Rappeler • to ring back
Il [conduire] trop vite pour le père qui le [critiquer] et puis [s'endormir].	S'endormir • to go to sleep
Il [réveiller] son père parce qu'ils [avoir] besoin des passeports à la frontière italienne. Pendant que le douanier [regarder] les passeports le père [décider] qu'il [devoir] prier.	Le douanier • the customs man Prier • to pray

Pendant que son père [prier] Réda [appeler] une copine à qui il [donner] des explications vagues.	Une explication • an explanation
Le père [essayer] de persuader son fils d'arrêter parce qu'il [avoir] l'air fatigué. Puis le père [faillir] les tuer en arrachant le volant de la voiture.	Arrêter • to stop L'air fatigué • looking tired Faillir • to nearly do something Tuer • to kill Le volant • the steering wheel En arrachant • by snatching
Pendant que Réda [dormir] son père lui [prendre] son téléphone et le [mettre] dans une poubelle.	Une poubelle • a bin
Le père ne [vouloir] pas s'arrêter en route disant qu'ils ne [être] pas des touristes ce qui [irriter] Réda.	Disant • saying
Ils [s'égarer] quand ils [quitter] l'autoroute. Réda [se fâcher] avec son père qu'il [accuser] de ne même pas savoir lire. Le père [bouder] après les insultes de son fils.	S'égarer • to get lost Se fâcher • to get annoyed Bouder • to sulk
A une bifurcation au lieu de décider s'ils [aller] tourner à droite ou à gauche le père [décider] de rester là .	Une bifurcation • a fork in the road
Pendant que le père [préparer] un repas Réda [prendre] des photos. Enfin il [se rendre] compte que son téléphone n'[être] pas là. Le père [avouer] l'avoir jeté à la poubelle.	Se rendre compte • to realize Avouer • to confess
Ils [s'entre-aider] à se laver les mains dans une scène tranquille la nuit. Ils ne [se parler] quand même pas.	S'entre-aider • to help each other Quand même • however
En route le lendemain ils [demander] le chemin à une vieille femme mais elle [monter] dans la voiture. Une camionette des Nations Unies [passer].	Le lendemain • the next day Demander le chemin • to ask the way Une camionette • van Franchir • to cross
Ils [franchir] la frontière serbe. La vieille femme [disparaître].	Disparaître • to disappear
Après la frontière la vieille dame [remonter] malgré les protestations de Réda. Pendant que Réda [vérifier] la voiture le père [demander] le chemin.	Malgré • in spite of Vérifier • to check
Réda [se demander] d'où [venir] la vieille qui [faire] signe d'aller tout droit tout le temps.	Se demander • to wonder Faire signe • to signal
A un hôtel il [réserver] une chambre pour la vieille mais le père [sembler] indécis. Ils [finir] par se débarrasser d'elle.	Indécis • undecided Finir par • to end up (doing) Se débarrasser de • to get rid of
A Belgrade ils [descendre] dans un hôtel où Réda [essayer] d'appeler sa copine. Ils [changer] de l'argent.	

En route de nouveau ils [demander] le chemin à un monsieur qui ne [cesser] pas de parler. Réda [sourire] pour la première fois.

Cesser de • to stop
Sourire • to smile

Ils [s'arrêter] et [se reposer] dans un abri d'autobus dans la neige. Le père [expliquer] pourquoi il [valoir] mieux aller en pèlerinage lentement, pas le plus vite possible. On [voir] le père paraître plus compréhensif. Il [décrire] le départ de son père à la Mecque en mulet.

Se reposer • to rest
Un abri • shelter
Valoir mieux • to be better
Un pèlerinage • a pilgrimage
Paraître • to appear
Décrire • to describe
Un mulet • mule

On [voir] le père lire le coran en route à haute voix.

Le coran • the koran

En Bulgarie, après avoir passé la nuit sur la route Réda [se réveiller] et [voir] que la voiture [être] couverte de neige. Le père [devenir] malade donc Réda l'[emmener] à l'hôpital.

Devenir • to become
Emmener • to take someone somewhere

Quand le père [se réveiller] il [vouloir] son livre de prière qui [se trouver] dans la voiture près de la gare. Du tramway il [voir] la vieille dame devant un grand bâtiment.

Un livre de prière • a prayer book

Réda [sourire] alors qu'ils [partir] de l'hôpital.

Sourire • to smile

A la frontière turque ils [avoir] des problèmes mais un monsieur qui [parler] français [traduire]. Il [arranger] la situation. Le monsieur [monter] avec eux et [exprimer] son admiration de leur mission.

Traduire • to translate
Exprimer • to express

Ils [emmener] le monsieur à sa maison mais le père ne [vouloir] pas entrer prendre un thé. Réda [prendre] le thé, [fumer] du hashish et [manger] des gâteaux. Le père [klaxonner] pour le faire se dépêcher.

Klaxonner • to hoot

Le monsieur les [accompagner] en pèlerin. Il [s'appeler] Mustapha.

Au cours du film on [remarquer] progressivement le changement de culture. Ils [faire] le tour de la grande mosquée d'Istamboul.

La mosquée • the mosque
Faire le tour de • to go around

Quand Mustapha [proposer] d'y passer la nuit le père [refuser].

Proposer • suggest

Ce soir-là ils [camper] et Mustapha et Réda [parler] de femmes. Mustapha est un ancien immigré dans le nord de la France mais il n'y [résider] plus depuis un an et [avoir] une famille en France y compris deux enfants.

Mustapha [encourager] Réda à boire de la bière et les deux [s'enivrer] avant de rentrer à l'hôtel.

S'enivrer • to get drunk

Le lendemain le père [réveiller] son fils qui a mal à la tête et [penser] que Mustapha est parti avec leur argent.

La police [trouver] Mustapha et l'[arrêter] mais ils n'[avoir] aucune preuve qu'il est coupable de vol.

Aucun • no
Une preuve • a proof
Coupable de vol • guilty of theft

La voiture [faillir] tomber en panne sèche dans le désert mais le père [avoir] encore de l'argent caché dans sa ceinture.

Faillir • to nearly	
Tomber en panne sèche • to run out of petrol	
Caché • hidden	
La ceinture • belt	

Ils [s'arrêter] à un puits pour remplir leur bidon et pour se laver. Une dame [mendier] avec un enfant. Le père lui [donner] de l'argent ce qui [irriter] Réda.

Un puits • a well
Remplir • to fill
Mendier • to beg

Le père [taper] son fils quand il [protester] et il [s'enrager]. On le [voir] monter au sommet d'une grande colline. Son père [trouver] la photo de sa copine et il le [suivre] au sommet de la colline où il [réfléchir].

Taper • to hit
S'enrager • to get mad
Suivre • to follow
Réfléchir •

Le père [dire] que son fils [être] libre de partir et de retourner en France dès qu'ils [vendre] la voiture à Damas.

Dès que • as soon as

Pourtant ils [continuer] ensemble. Réda [vouloir] manger de la viande. Son père [acheter] un mouton à des nomades.

Pourtant • however

Ils [finir] par essayer d'abattre le mouton au bord de la route. Pourtant il [s'échapper] et Réda lui [courir] après mais il n'[arriver] pas à le rattraper.

Abattre • to kill/slaughter
S'échapper • to escape
Rattraper • to catch up

En arrivant à Amman il est évident qu'ils [s'approcher] de Mecque.

Evident • obvious
S'approcher de • to approach

Réda [trouver] la chaussette remplie d'argent du père ce qui l'[étonner].

La chaussette • sock
Rempli de • filled with

Le père ne [comprendre] pas et ils [se disputer] de nouveau. Réda [aller] boire un coup dans un bar.

Se disputer • to row
Boire un coup • to have a drink

Il [danser] avec la danseuse qui l'[attirer] beaucoup; quand il [rentrer] avec elle il [déranger] son père qui [dormir].

Attirer • to attract
Déranger • to disturb

Furieux le père [quitter] l'hôtel de bonne heure avec sa valise. Réda [rouler] à côté de lui en voiture essayant de le persuader de monter. Le père [finir] par monter.

De bonne heure • early
Rouler (en voiture) • to drive
Essayant • trying

On [voir] Réda se réveiller dans une dune de sable. Il [se sentir] couler dans le sable et [crier] au secours.

Le sable • sand
Se sentir • to feel

Ils [rencontrer] un groupe d'autres musulmans qui [vont] à Mecque. Ils [camper] ensemble parlant du voyage et priant ensemble.

Un musulman • a muslim

Pendant que les autres [prier] Réda [écrire] « Lisa » avec la pointe de ses pieds.

Ils [quitter] le groupe et quand ils [s'arrêter], ils [se rendre] compte qu'ils n'[avoir] plus d'eau. Ils [parler] enfin de l'importance de Mecque pour les musulmans.

Se rendre compte • to realize
Enfin • finally

Le père est reconnaissant envers son fils de lui permettre d'accomplir son désir de visiter Mecque.

Reconnaissant • grateful
Envers • towards

Arrivés à Mecque ils [devenir] plus calmes et tranquilles et ils [retrouvent] leurs nouveaux amis de la route.

Tout le monde [s'habiller] pour aller à la cérémonie. Réda [se sentir] confus quand il [voir] son père partir.

Se sentir • to feel

Il [attendre] le retour de son père debout sur la voiture. Quand il ne [revenir] pas il [aller] en ville avec les autres pèlerins pour essayer de le trouver.

Debout • standing

On [voir] défiler la foule à Mecque. Réda [chercher] son père partout.

Défiler • to parade
La foule • the crowd

Comme il [se frayer] un passage par la foule des policiers l'[arrêter] et on l'[emmener] à la morgue pour voir si son père [être] là. Il l'[identifier] et [fondre] en larmes.

Se frayer un passage • to elbow one's way
Fondre en larmes • to burst into tears

On [préparer] le cadavre du père en le lavant.

Le cadavre • the corpse

Enfin il [monter] dans un taxi et [ouvrir] la vitre pour se rafraîchir.

Reported Speech

Identifiez quelle bulle correspond à quel personnage dans la case à droite.

Dès mon retour j'arrête de boire et je commence la prière.

_____

Surveille ton langage.

_____

Il peut pas prendre l'avion comme tout le monde ?

_____

C'est pas un endroit pour prier.

_____

Je ne peux pas parler. Je dois raccrocher.

_____

Toi, tu vas où ?

_____

On va quand même s'arrêter à Venise ?

_____

Tu m'entends ? C'est Réda.

_____

Je suis très honoré d'avoir fait la connaissance de pèlerins comme vous.

_____

Ton père a raison. On a beaucoup de route à faire.

_____

Rends-moi mon passeport, je te dis.

_____

Tu n'as jamais rien compris.

_____

Pourquoi est-ce que c'est si important pour toi d'aller le voir ?

_____

Je te demande pardon.

_____

1. Texto d'une amie de Réda

2. Réda à son père après l'incident au puits.

3. Le frère de Réda x2

4. Réda à son père dans l'hôpital

5. Réda après l'incident avec la danseuse.

6. Réda à sa mère

7. Le frère de Réda juste avant le depart

8. Mustapha le pèlerin

9. Réda à son père après avoir trouvé l'argent dans une chaussette

10. Réda à la frontière italienne

11. Le père de Réda à la vieille femme

Using the exact words from the script of the film complete using reported speech the sentences in the rectangles.

Dès mon retour j'arrête de boire et je commence la prière .

Le frère de Réda lui dit que _

_ _

Le frère de Réda lui dit _ .

_ _

Surveille ton langage.

Il peut pas prendre l'avion comme tout le monde ?

Réda demande à sa mère _

_ _

A la frontière italienne Réda dit à _ _ _ _ _ _ _ _ _ _ _ _ _ _ _

_ _

C'est pas un endroit pour prier.

Je ne peux pas parler. Je dois raccrocher.

En téléphonant à sa copine Réda lui dit _ _ _ _ _ _ _ _ _ _ _

_ _

Réda demande à son père s'ils _ _ _ _ _ _ _ _ _ _ _ _ _ _ _

_ _

On va quand même s'arrêter à Venise ?

Toi, tu vas où ?

Le père de Réda demande à la vieille femme _ _ _ _ _ _ _ _ _

_ _

À l'hôpital Réda demande à son père s'_ _ _ _ _ _ _ _ _ _ _ _
_ _

Tu m'entends ?
C'est Réda..

Je suis très honoré d'avoir fait la connaissance de pèlerins comme vous.

Mustapha le Turc qui parle français dit qu'_ _ _ _ _ _ _ _ _ _
_ _

Après le refus du père de rester à Istamboul Mustapha dit à Réda que _

Ton père a raison. On a beaucoup de route à faire.

Rends-moi mon passeport, je te dis.

Après l'incident au puits dans le desert Réda dit à son père de _

Quand son père paraît surpris de voir que Réda a de l'argent, celui-ci répond qu'_ .

Tu n'as jamais rien compris.

Je te demande pardon.

Après l'incident avec la danseuse quand Réda suit son père en voiture il _

Assis à côté de la voiture Réda demande à son père
_ _

Pourquoi est-ce que c'est si important pour toi d'aller le voir ?

15

Adjectifs qui décrivent le caractère

Traduisez les adjectifs en anglais et puis trouvez l'antonyme

Ambitieux/ieuse

Arrogant/e

Aventureux/euse

Bouleversé/e

Charitable

Clément/e

Compatissant/e

Compréhensif/ive

Controverse

Dévot/e

Dominateur/trice

Egoïste

Fidèle

Furieux/ieuse

Généreux/euse

Illettré/e

Impatient/e

Impitoyable

Indigné

Inquiet/iète

Intolérant/e

Irresponsable

Loyal/e

Macho

Maussade

Morose

Outré/e

Peureux/euse

Prudent/e

Reconnaissant/e

Résolu/e

Soupçonneux/euse

Comment parler du caractère de quelqu'un - Traduisez les phrases en anglais

On découvre/se rend compte/apprend/voit que le père est compréhensif quand il dit à Réda qu'il est libre de repartir en France en avion.

Paul révèle/nous fait voir/montre qu'il aime son père en lui tenant la main à l'hôpital.

Au début du film on a l'impression que Réda est une personne très moderne ; pourtant il ne résiste pas aux ordres de son père.

La manière dont le père se débarrasse du téléphone nous révèle que c'est lui qui commande.

Quand/Alors que Réda traite son père d'illettré il est évident que cela lui fait mal.

D'une part Paul paraît/semble égoïste envers son père, d'autre part il n'ose pas le laisser en danger.

Bien qu'il soit dominateur envers Réda le père se rend compte que les deux habitent un monde différent l'un de l'autre.

Faites vos propres exemples de phrases parlant des traits de caractère du père et de Réda

Qu'est-ce que ces observations nous apprennent du caractère des protagonistes ?

Réda tient à ne pas trop aider son frère à la casse.

Il accepte de conduire la voiture jusqu'à Mecque malgré ses protestations.

Le père ne veut pas qu'ils s'arrêtent pour visiter les sites touristiques en route.

Le père refuse de chasser la vieille dame qui monte dans la voiture.

Réda invite la danseuse à venir chez lui passer la nuit.

Réda écoute son père alors qu'il raconte ses raisons pour vouloir aller au Hadj.

Traduisez ces phrases en français

At the start of the film Réda seems very sullen with his father although we realize that he is quite respectful.

The father is very devout and prays often which Réda who is not religious finds annoying.

Réda becomes more understanding towards the end of the film when his father explains why he is so enthusiastic about the Hajj.

Réda is distraught when he finds his father dead.

the Tensinator

Translate the sentences for each tense into English. Make sure you understand how the tense is made up, then create your own examples using a range of regular and irregular verbs.

Pluperfect

Parce qu'il avait raté le bac il voulait le passer de nouveau.

Quand il avait attendu assez longtemps son père Réda est entré à la Mecque pour le chercher.

Perfect

Il a déjà passé le bac une fois - sans succès.

Après la dispute au puits Réda a attendu son père en haut d'une colline.

Imperfect

Réda ne voulait pas aller à Mecque parce qu'il passait son bac.

Pendant que le père attendait son fils devant la maison de Mustapha il boudait.

Present

Il passe son bac pour la dernière fois.

Il attend dans la voiture pendant que son père prie.

Future

J'espère qu'il passera son bac quand il retournera de la Mecque.

Je sais qu'il m'attendra. Il ne partira pas sans moi !

Conditional

S'il passait son bac, il échouerait sûrement.

Si tu attendais moins impatiemment tu serais plus calme.

Conditional Perfect

Si tu avais passé ton bac cette année tu l'aurais eu.

Si les agents de douane avaient été plus serviables, Réda et son père auraient attendu moins longtemps.

The « A » Factor

What is the A factor ?

To have the A factor you need to be able to show off your talents on the oral and essay stage with a range of grammar and constructions which will knock the judges', er markers' socks off. The good news is that a lot of the language you can use is really quite straight forward. Practise this language in context and you're winning through to the next round-no problem.

Present participle   en ....ant

If you are telling part of the story to illustrate a point it is good practice to use the present participle to vary the style of your speech or writing. In the first example it means "On leaving / As he leaves" the home. In the second example it means "by paying".

> The present participle is made from the nous part of the present tense, minus the -ons ending with an -ant added. There are of course irregulars but not too many (être- étant / savoir - sachant).

---

1. Quand il part de la maison Réda sait que le voyage sera pénible.
En partant de la maison Réda sait que le voyage sera pénible.
2. Mustapha aide Réda et son père à la frontière ; il paie pour qu'on leur permette d'entrer dans le pays.
Mustapha les aide à la frontière en payant pour qu'on leur permette d'entrer dans le pays.

---

1. Quand il va au bar avec Mustapha Réda s'enivre.

En ....

2. Lorsqu'ils arrivent en Croatie ils s'égarent et passent leur temps à chercher le chemin.

En ....

3. Le père de Réda arrange l'affaire de la vieille femme; il paie une chambre d'hôtel pour elle.

Le père de Réda arrange l'affaire de la vieille femme en ....

4. Quand il se réveille dans la voiture gelée Réda découvre son père mourant de froid.

En se ....

5. Réda décide d'aller le plus loin possible de son père donc il monte au sommet d'une colline

Réda décide d'aller le plus loin possible de son père en ....

6. Le père agace son fils; il donne de l'argent à une femme qui mendie avec son enfant.

Le père agace son fils en ....

7. Réda veut trouver la vérité donc il entre à la Mecque.

Réda veut trouver la vérité en ....

Passive voice

> How is the passive made? Simple! The appropriate part of the verb être is used in whatever tense and the active verb is put into the past participle with agreement for gender (e) and/or plural (s). See the PowerPoint.

See the PowerPoint for more information on the passive

Convert the following events in the film into the passive

1. Le comportement de Réda à la casse irrite son frère aîné.

Le frère aîné de Réda est ....

And try it in the perfect

Le frère aîné de Réda a été..

2. La nouvelle qu'il doit emmener son père à la Mecque bouleverse Réda.

Réda est ....

Perfect

Réda a ....

3. La confiance de la vieille femme en noir surprend Réda et son père.

Réda et son père ....

4. Réda choque son père quand il le traite d'illettré.

Le père de Réda est .... quand son fils ....

5. Réda et son père pensent que Mustapha a volé leur argent pendant la nuit.

Réda et son père pensent que leur argent ....

6. Vers la fin du film le père touche son fils quand il lui explique l'important du Hadj pour lui.

Vers la fin du film le fils ....

7. Réda identifie le cadavre de son père à la morgue.

Le cadavre ....

8. La nouvelle de la mort du père à la Mecque bouleversera la famille quand ils l'entendront.

La famille sera ....

Subjunctive

Using the subjunctive in all its various subtleties can take years of study and gradual understanding of its finer points. However, all students can manage some of the more common usages, although you should beware of "getting it in" just for the sake of it. **See PowerPoint for more information.**

Two of the more common usages of the subjunctive mood are following

Il faut que and **Vouloir que**

To form the subjunctive is not difficult. Take the third person plural (ils) of the present tense. Remove the ending and add   Je -e   Tu -es   il/elle/on -e,   nous -ions   vous -iez   ils/elles -ent Unfortunately this means that when you use the subjunctive of some verbs you can actually tell the difference in the case of er verbs for instance.

Il faut que tu manges - You have to eat

Je veux qu'ils réparent la voiture I want them to repair the car

In regular -re verbs you can tell it's being used:

Je veux que tu attendes - I want you to wait

The more common irregular verbs have quite different forms from which the subjunctive is built

Être - je sois, tu sois, il/elle/on soit, nous soyons, vous soyez, ils/elles soient

Faire - je fasse, tu fasses, il/elle/on fasse, nous fassions, vous fassiez, ils/elles fassent

Vouloir que - to want someone to do something (change of subject)

1. Le père de Réda veut qu'il (conduire) la voiture jusqu'à la Mecque.

2. L'amie de Réda veut qu'il (répondre) au téléphone parce qu'elle ne sait pas ce qu'il fait.

3. Le père ne veut pas que Mustapha (venir) avec eux en pèlerin.

4. Réda ne veut pas que son père (être) si généreux avec son argent quand il en donne à une mendiante.

Il faut que - it is necessary (for something to happen)

5. Il faut que le père (aller) à l'hôpital après une nuit passé dans la voiture gelée.

6. Il faut que Réda (lire) constamment la carte quand ils traversent l'Europe pour ne pas s'égarer.

7. Il faut que les musulmans qui ont assez d'argent (faire) le voyage à la Mecque au moins une fois dans leur vie.

8. Il faut que Réda (aller) en ville pour essayer de trouver son père qui n'est pas revenu du Hadj.

And one for good luck **pour que** - in order that/ so that

9. Le père saisit le volant de la voiture pour que son fils (faire) halte.

10. Le père met le portable de son fils à la poubelle pour qu'il (faire) plus attention à lui.

11. Le frère de Réda lui donne un appareil photo avant le départ pour qu'il (prendre) des photos de ce voyage si important.

12. Après toutes leurs disputes le père explique à Réda l'importance du Hadj pour lui pour que son fils (comprendre) sa motivation.

Essay Plan

Essay **title**: Write this down and underline the key words and phrases. Keep referring to it.
Pourquoi l'étape en Turquie est-elle significative dans le film ?

Point A
• Problèmes de passeport - frontière turque.
• Aidés par Mustapha, un Turc qui parle français ils réussissent à entrer en Turquie.

Point B
• Père n'apprécie pas l'arrivée du Turc sur la scène.
• En tant que musulman francisé il représente un danger pour le père qui est impatient de repartir.
• Dégoûté quand Mustapha remonte dans la voiture pour partir avec eux vers la Mecque.
• Tentation constante pour le fils.

Point C
• Réda et son père s'entendent mal pendant la première partie du voyage.
• Père ne veut pas s'arrêter pour visiter Milan ou Venise.
• Refuse également de rester à Istanboul quand Mustapha le propose.

Ideas to contextualise question for the **introduction**. Saying what you are going to say. *Les autres personnages mettent en evidence aspects du caractère et des croyances du père… l'attitude de Mustapha ressemble à celle de Réda*

Ideas for **conclusion.** Summing up of your opinions as expressed in the body of the essay with no new points. *Tentation - Mustapha - le danger passe - de nouvelles situations arriveront pour opposer père et fils.*

Point D
• Tentation de l'alcool - Mustapha.
• Donne des raisons philosphiques pour expliquer que l'alcool n'est pas un problème pour l'islam.
• Réda s'enivre et se réveille avec la gueule de bois.
• Père très fâché - l'argent pour le voyage disparu ainsi que Mustapha.
• Entrevue au commissariat - police ne peut rien faire.

Point E
• Plus tard Réda trouve l'argent du père dans une chaussette sous le siège avant de la voiture.
• Ambigu - l'argent disparu - le père savait-il où il était ?
• Content de se débarrasser du Turc.

Point F
• Réda et Mustapha s'entendent très bien.
• Feu de camp - ils discutent de toutes sortes de choses - femmes et la vie en France.
• Père qui ne connaît pas très bien son fils jaloux.

Keep your points separate, adding to them as new ideas come into your head. Only use brief note form to help you remember. For a 400 word essay you may well only want half a dozen points, each well illustrated with examples.

Use arrows between the points to show interrelationships - which points are logically connected. You can then organize the paragraphs in the same order. Use arrow from the Draw menu (shapes)

Introduction - Set the context of the essay, referring explicity to the title.
Say what you are going to say clearly. The content you use may refer to other works by the cineaste, to the historical period, the social setting - whatever seems to flow naturally into what you are going to write/have written.

Paragraphe 1 - First sentence should set the scene for the paragraph providing analysis of how it answers the question.
Following sentences should be consistent with the first sentence and offer illustration of the point made.

Paragraphe 2 - First sentence should lead on logically from previous paragraph saying whether it adds to the previous set of ideas or maybe contradicts them.

Paragraphe 3

Paragraphe 4 ++

Tip
Write on alternate lines then it is easier to edit your work in the exam.

Conclusion - It should summarise your findings, not adding new ideas but pulling together your analysis of the question.

Ideas should go from the less important finishing off with the most important in the final paragraph.

Notes